未確認少年ゲドー
GEDOH the Unidentified Mysterious Boy

①謎の未確認ドクター
CONTENTS

──たとえばパンダは1869年に存在が確認されるまでは一種の未確認生物だったわけだし……

ジャイアントパンダ

シーラカンスは1938年の発見

恐竜と一緒に絶滅したはずの生物でした

シーラカンス（ラティメリア）

メタセコイア　1945年

オカピ　1900年

ヤンバルクイナ　1981年

イリオモテヤマネコ　1965年

ツノシマクジラ　2003年

このように今では当たり前の生き物もかつては「未確認」だった時代があったんです

だとすれば

これから紹介する生き物たちだって

第1話 謎の未確認ドクター

「絶対いない」とは
言い切れないんじゃ
ないでしょうか…

第1話
謎の未確認ドクター

くぅ～～…
ぷるぷる
ぷるぷる
キャアァァ
ギャラゴロゴロ
なに この変な物体は～っ!?
くー…
よ 妖怪!? エイリアン!?
ずりっ ぺたっ ずりっ ぺたっ
やだ あっち行ってよ バケモノ～!!
ちがいます!
びくっ
えっ
この子はバケモノではない生き物です!
見かけで差別してはいけませんよ!
あなたは!?
ボク…ボクですか!?
ボクの名はゲドー
カッ

…また

バ・ケ・モ・ノ？

ひっ!?

…ボクの
ことですか？

え!?
あ
いや…

しまった！
私したら
なんて
失礼なことを…

あの…その…
ごめんなさい
私っ…！

いいですよ
そう見えるものは
しかたがない

ペコペコ

プイ

あちゃ〜っ
ヤバイ！

こりゃ完全に
怒ってるよね〜

ひぇ〜

そりゃそうだわ
初対面でイキナリ…

バケモノなんて
言われたら…

あ〜もう
私のバカバカ！

で…でも
この人…

見れば見るほど
不思議な顔だわ

目なんか
まるで
エジプトの壁画
だし

なんか…人間じゃ
ないみたいで…

ってバカ！
顔で人を判断
するなんて！最低だぞ！讃良！

何考えてんのよ

こんな
かんじ？

ガーン

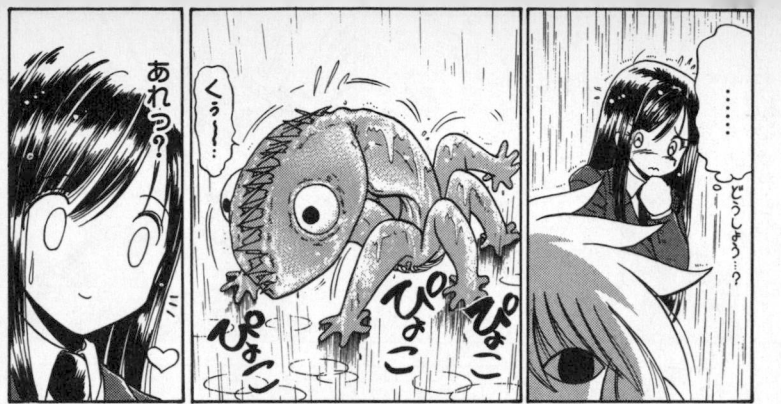

え!?
未確認生物!?
(何言ってんの この人…)

そんなもの
こんな町なかに
いるわけないじゃ
ない

うそォ
!?

いわゆる

未確認生物…！

そんなことは
ありませんよ

彼らは
どこにでも
いるの
です！

もちろん
町の中にも
ね！

人間が
気付いて
ないだけ
です

この人…
頭も変？

うん…やっぱり
足にバイ菌が
入ってますね

急いで患部を

切りま
しょう!!

キラーン

!!

シーン…

讃良！

…ら

う…くん…

讃良！

しっかりして
讃良！

讃良！

結城

はっ!?

お母さん

がば…っ！

よかった！
気がついたのね！

ホッ…

なかなか
目をさまさ
ないんだもん
心配したわ
よ

ここは…
私の部屋…
いつのまに…

あなた
この雨の中
公園で気絶してたん
ですってよ!?

そうか
私
あのまま…

気絶…

通りすがりの
男の子が
見つけて…
生徒手帳の
住所を見て

つれてきて
くれたのよ

えっ？

その
男の子って

未確認生物なんて…ホントにいるの？

ズズ…

こんな人間だらけの町なかに

いるじゃないですか 現にホラ

あなたの目の前に

うっぎゃ〜っ!!

やっぱり夢じゃないわァ!

くらっ…

ねるなー!

びし ばし

いちいち気絶されたんじゃ全然話が進みません

なんなの!? あんたら いったいなんなのよくっ!?

それを今から説明するのです

…自分たちが…

つ…つまり

未確認生物だから

それ専門の医者をやっていると!?

そーです!

人間にも動物にも専門の医者がおおぜいいますけど…

未確認生物の専門医は他にいませんからね

しかし…

ボクたちもそこから枝わかれして進化した別系統の人類なのです!

人間の祖先はアウストラロ＝ピテクスという猿人ですが

ホモ＝サピエンス（知恵あるヒトの意）

アウストラロ＝ピテクス（南のサルの意）

では順をおって説明しましょう！

あなたたちみたいな生物がいるなんて…！

とても信じられないわ！

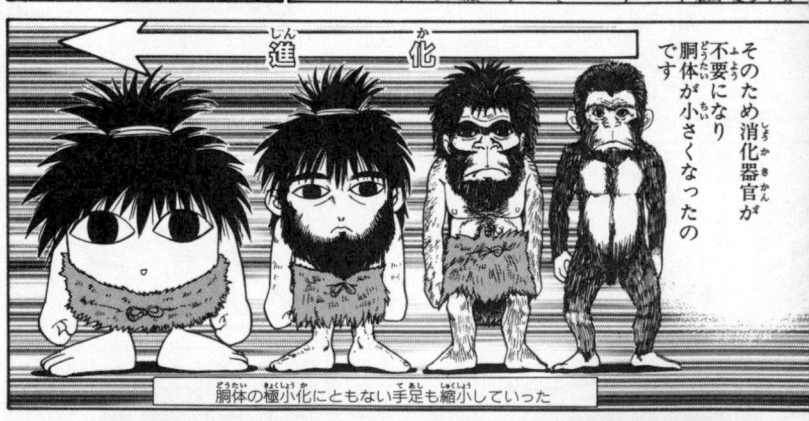

頭脚人間の故郷はあたたかい南の楽園でした

祖先たちはそこでとれる果実を主食にしていました

その実は一年中とれて栄養満点

そのうえ消化吸収もとてもよい食物でした

そのため消化器官が不要になり胴体が小さくなったのです

← 進化

胴体の極小化にともない手足も縮小していった

首なし人間の故郷は逆に過酷な環境でした

極寒の雪山だったといわれています

なるほど

そのため体温の放散を防ぐべく頭部と体が一体化したのです

進化

サムイサムイ

サムイサムイ

サムクナイ

寒いとき首をすぼめるのと同じ理屈です

やがておそろしい事件がおこります

どちらの祖先もそれぞれの故郷で平和にくらしていました

が

しかし

え…？

それはあなたたち人間の祖先…クロマニヨン人の襲来でした

ライバルのネアンデルタール人を絶滅させ、急速に数を増した彼らはついにボクらの祖先の故郷にも侵略してきたのです！

以来 ボクたちの種族にとって それが生きるための必須条件となりました

人間に化け 人間のふりをして人間界で暮らすことが

本当は…正体を人間に明かすのは禁じられているのです

化け物扱いされ迫害されるのがオチですからね

でも 中にはボクたちを受け入れてくれる人間もいるはずです!

ボクたちの父・母・祖父・祖母もそうやって生きてきたのです

讃良さん

はい!

あなたは「くーちゃん」に対して理解を示してくれました

化け物ではなく生き物なのだと

それならばどうでしょうか

ボクたちは人間とはちがうかわった姿をしています

そうですか では ボクは食糧を 調達に 行ってきます

ええ ちょっと

ボクの食事は …特別な もので…!

では

あの人 たちって… 何食べて いるのかし ら?

食糧?

ひょっとして 食べ物まで

未確認生物 専門だったりして

まさかね!

ははは

そんなこと

ありうる!

♪

治療したのは 太らせて あとで 食べるため!?

買ってきました 赤ちゃん用の 離乳食!

頭脚人間は 内臓が小さいので 消化の良いものしか 食べられないのです!

ただいま
ハエトリグサくん

よっ
こらせ

…
いません
ね…

から〜〜っぽ

あれ?

ハァハァ

ここまで
くれば
大丈夫ね!

まさか…!

悪いけど
とても
信用できないわ

首と胴が
別々の
生物
なんて!!

くーちゃんはギリギリ
かわいいと思えるけど
あの連中は
やっぱり
バケモノだと思うわ!

ここは町から
かなり離れた
山の中で

人間は
めったに
やってこない

公園なんかより
ずっと安全よ！

毎日はムリ
だけど…土・日は
必ず来るわ
だからここで
暮らして…

なあに？
別れが
つらいの？
そりゃあ
私だって…

…!?
どうしたの
なんか
様子が
変よ！？

…え？
家にも
帰ってない…？

そうなんです
友だちも
みんな知らない
っていうし…

あ
きのうは
どうも…

まさか
誘拐され
たんじゃ…

あなた！
おまえ…

…わかりました
ボクが
捜しましょう！

たのむよ
外堂くん！

本当
ですか！？

こらーっキミーっ
そんなところで
何してるー！

なにって…人を
捜してるんですよ

ここからなら
町中が一望
できますから

バカモン
そんなところから
人が捜せるか

暗くて遠くて
何も見えない
だろーが！

今 そっちに行く
からな！動いちゃ
いかんぞ！

――ああそうか
人間にはないん
だっけ

ボクたち
頭脚人間の
ような
「眼力」は！

ち、仕事
なくなっち
まったぜ

頭脚人間には
胴体がない

元・胴体担当
の脳細胞

そのため脳の中で
胴体を管理していた
部分がヒマになって
しまったのです

やがて その部分は
眼の神経の
強化に使われる
ようになり

するとどうだい？から
目でも強化するか

オレも

その結果
ふつうの人間には
ない特別な力を
持つに至ったのです

それこそ頭脚人間の
眼にそなわった
神秘の力…

5つの
特殊眼力！
なの
です！

ハァハァ…
やっと
のぼったぞ

キミ！
そこを動く
なよ…！

やります！
頭脚人間
外堂祭門

5つの
特殊眼力の
ひとつ…

望遠眼!!
（ボウエンガン）
（暗視機能付き）

！
いた！
いました！

北北西
（ほくほくせい）
5km
（キロ）
の
山の中
（やまのなか）
です！

大変
（たいへん）
だ…野犬
（やけん）
の
群
（む）
れにかこまれて
ます！

ギン
ギン
キャン

急
（いそ）
いで
助
（たす）
けにいかな
いと！

5km
（キロ）
…ふつうに
走
（はし）
ったら15分
（ぷん）
は
かかりますが

3分
（ぷん）
で
いきま
しょう！

さあ
ガーくん
出番
（でばん）
ですよ！

ぬ
き
ぬ
き

ガ！？

いいぞガーくん さすがです

これなら2分でつけるでしょう!

ひ〜〜〜っ なんじゃありゃ 妖怪か!?

うわがあぁ〜〜〜

この日より後…国道を時速120kmで疾走する首なし人間の噂は都市伝説のひとつとして長く語りつがれたという…

今の技よい子はマネしないでね！

できるかっ！

しゅたっ

外堂くん！

あのっ！助けにきてくれたのはうれしいんだけど…頭だけで来られても

大丈夫頭だけで充分です！

讃良さん！ボクを頭の上にのせて下さい！

えっ？

そしてボクの眼を犬たちに向けるのです

こう？

ガルル…

ウ゛ー

それから讃良さん…決してボクの眼を見てはいけませんよ

あなたまで術にかかってしまいますからね！

？

頭脚人間…外堂祭門

5つの特殊眼力の2…

麻酔眼！！

ボクの眼から出る
波動には生物の
神経や細胞に作用する
力があるのです

彼らとて元は人間に
捨てられた被害者…
傷付けたくはありません

…ど どうなの
外堂くん
くーちゃんは…

外堂くん？

フー……

大丈夫ですよ

助かりますよ

ニコッ

ホント!?

深いキズは一つもありません

結局植物ですからね犬たちも本気で食べようとは思わなかったのでしょう

じゃあ すぐ戻って手当てをすれば…

ああ…その必要もないでしょう

この程度のキズなら今ここで治してあげられますよ

え…?でも薬もないのにどうやって…?

頭脚人間5つの特殊眼力…

その3…

あ…キズが

すごい…

ちなみにこの技は
別名「必殺！
癒しビーム」！
あるいは

「元気モリモリ
光線！」とも
よばれて
います

その別名は
ない方が
いいわ
絶対！

消えていく…

じゃあくーちゃんは
元の公園に戻して
あげましょう
ね？

町の方が
野犬もいないし
安全だもんね

うん

あれ
外堂くんの
顔…

！？
あ

え？

不思議…最初見たときはあんなに不気味だったのに…今はむしろかわいく見える…？

慣れたからかしら…？

？

なんですか？

ねえ外堂くん

ハイ？

さっきの質問の答えだけど…

あなたたちはバケモノじゃないわ！

私たち人間と同じ…ううん

もっとすてきな生き物よ！

ニコ

ありがとう

帰りましょうご両親が心配してますよ

うん！

讃良！

無事だったかーっ!!

野犬の群れに襲われちゃってね

おお!彼が!

ええっ!?

外堂くんが助けてくれたの

私の命の恩人よ

ね!外堂く

…

あ、あれ?

いな～い

消えちゃったわ

結局 その日 外堂くんは

それきり姿を現しませんでした

翌日 橋の下に行ってみると

テントはあとかたもなくなっていて

あれ?

世界中を回っているんですよ…

そっか

行っちゃったのね 外堂くん…

うっさぎやあ～～っ

なっなんで外堂くんが
うちにいるの～っ!?

実はけさ
出勤途中の
お父さんと
ぐう然会い
ましてね

娘の命の
恩人に
テントぐらし
などさせられ
ない

「ぜひうちに
下宿しないか」
とさそわれて

OKしちゃい
ました！

ざばー

ひええ

こうしてわが家に
おかしな同居人が
できました

この町にも
未確認生物は
たくさん
いますし…
しばらく
ここに
住み
ますよ

その名は
未確認少年
ゲドー

これから
どんな事件が
おこるのか

楽しみなような
不安なような

会いたい
とは思うだ
けど…

…いっしょに
住みたいとは
思わなかだ
な～っ!!

つづく

六脚ハエトリグサ

分類：被子植物門／ウツボカズラ目／モウセンゴケ科
学名：デイオネア゠マスキプラ゠ヘキサポーダ（6本足のハエトリグサ、の意）

食虫植物はもともと栄養分の少ない土地に生えているため、不足する養分を虫を食べることで補っていたが、この生物はそれがさらに進化して移動能力までそなえたもの。通常のハエトリグサは小バエくらいしか食べられないが、こちらはセミやチョウ、バッタなどかなり大きな虫も捕食する。劇中では描かれていないが、口を開いて虫を食べる瞬間はかなりおそろしいらしい。

−前回のあらすじ−

私の家に住みついた謎の少年・外堂くん

私・結城讃良（高校1年生）

その正体は首と胴が別々の未確認生物のコンビでした

首なし人間・ガーくん

頭脚人間・外堂くん

彼らいわく

他の人間に正体がバレると人間界でくらせなくなります

第2話 謎の擬態生物

どうか ご内密に

しるか♡

ご内密に〜!!

ナイショにしていんでしょ

だーっ!わかったわかったわかった

ナイショにしていんでしょ

こうして私たち2人（3人？）の奇妙な生活がはじまったのです

第2話 謎の擬態生物

どーーん…

ギーィ…

ZZZ ZZZ

すぴー

すぴー

やっぱり…首がはずれておちてる…

しかも目をあけたまま…

こんな光景親に見せたらショックで心臓マヒおこすわよ…

ずる…

すぴー

ほら外堂くん朝よ起きて！

あしげ

コンコン

んあっ

あいさつはいいから早く着がえて！

あくびするとまた顔にすごい傷になるわね…

ふぁ～ぁ

へぁ…あ謙良さんおあようこらいまふ…

まったくいまだに信じられないなあ

へぁ～

こんな不思議なバケモ…いや生き物がいるなんてさ！

ホントこんなの学校行かせていいのかしら！？

本人が行きたいというから仕方ないけど

正体がバレて大さわぎになるんじゃないかしら！？

うぅ～ん…

いたた…何をするんだ讃良…

いたた…

いきなり親にとびげりとは…

ようやく準備がおわったわ！

行ってきまーす！

いい？外堂くん！学校は人間だらけなの！

絶対ヘンなことしないでね！！

聞いてる！？

入るなーっ

ばたーん

むべんべっ！

外堂くん！早く着がえて！

ふぁい

ぐりりん！

180度

だくっ！言ってるそばから

え？何か言いました？

そぞゆくことつってんなっつってんのーっ！

まーす

回しすぎ！首回しすぎー！

首の回転は左右90度ずつまでって約束したでしょー！

え？

あーそーでした

ったく あんたも少しは正体かくす努力してよねっ！

90度 すくないなぁ

ひとりでムキになってる私がバカみたいじゃない！

後回り！ ぐりんぐりん！ ぐりん！

前回り！ ぐりんぐりん！ ぐりん！

それならば前後はどうでしょう！？

そうですか左右はダメですか…

アニメでお見せできないのが残念です

それから…

反復横とび！ ぴょん ぴょん

側転に… ぐりん ぐりん

二のやろ〜

なぜそんなことを讃良さん

わざとでしょ！？私をからかって楽しんでるでしょ！？

ボクの心が読めるんですか！？

どげしゃぁ

わー

また来てるわ　あのヘンなカラス…

やっぱり不吉よ　やめた方がいいわよ

あ！　ちょっと　まって　あれ!!

えっ？

でも　そう感じるのは　私だけで他の人はふつうのカラスだって言うんだけど…

どーも他のカラスとどこかちがう気がするの…

…なにが変なのです？

なにが…って言われると困るんだけど…

ほほー

…

！　そうだわ！

はじめて外堂くんを見たときのかんじに似てる！

外堂くんと同じかんじがするのよ　あのカラス！

そのとおり…　あれは…ふつうのカラスではありません

さすがですね　讃良さん　みごとな直感力です

えっ？

カラスの姿に「擬態」した…未確認生物です！

ばん！

ボクも人間の姿に「擬態」してるわけですから

それで同じかんじがしたんだ！

「擬態」って言うと昆虫とかが…

草花や他の生物に化ける…あれ？

ナナフシ

コノハチョウ

ハナカマキリ（幼虫）

そうです！

じゃあ あのカラスも何かが化けてるの？

ハイ あれはチョウです

蝶！？

未確認生物「カラス？アゲハ」です！

なんでカラスアゲハが未確認なのよ？図鑑にものってるわよ

カラスアゲハじゃない「カラス？アゲハ」ですよ！

ボクがつくったこの笛でコミュニケーションできますやってみましょう

ピー

おいで

ピピー

バサッ

解散

チョウの大群が合体してたの!?

すごい擬態でしょう?

わくっ!!

カラス？アゲハ
節足動物門/昆虫綱/鱗翅目/アゲハチョウ科
学名：パピリオ＝コルヴスミムス（カラスもどきのアゲハの意）

「カラス？アゲハ」の「？」の意味がわかったでしょう？

つのだ☆ヒロの☆やっんく♂のとちがって♂ちゃんと意味があるのですよ

意外に俗なこと知ってるのね外堂くん

この擬態は魚などではよく見られるものなんですよ

ああして身をよせあうことで鳥などの天敵を防いでいるのです

身をよせあって大魚に擬態する小魚たち

そういえば私　昔から
かくれている昆虫とか
見つけるの　とくいだった
のよ！

ホラ
そこに
ナナフシが
いるよ

…え？

どこ…？

あれって特殊な
才能だったのね
！！

ん？…まてよ？
てことは

外堂くんの顔を
ヘンだと感じて
いるのも…ひょっとして

私だけ
なの？

ハイ
そーです！

ふーん…じゃあ
首さえ取らなきゃ
正体バレる心配は
ないのか…？そういえば
うちの親もまったく
気付いてなかったし。

でもいったい
他の人には

どんな顔に
見えるん
だろう…？

じゃあ　いいですね
学校に行っても？

うん…
まあ…

…あーっ！
しまった！

もうこんな
時間！

急がなきゃ！
もう遅刻よーっ！

ってコラ
首をこわきに
かかえて走る
なーっ！

たたた、

すみま
せん

キーンコーンカーンコーン

1-B

あ おはよう ミカ

おっす 讃良 おそかったじゃん

外堂くんは転生（注）なのであとで先生といっしょにくる

まにあった…

よしそれじゃ 外堂くんの顔を激写するか！

ボクの顔が他の人にどう見えてるか知りたければ

写真をとればいいのです

パカ

なんで？

カメラ付きケータイ →

肉眼では光だけでなく気配やオーラといったものも感じとります

目だけでなく全身を使って見ているのです！

写真にはそれがうつりませんから

…では教室で

職員室

見せかけの外見だけが現れるのね！

そういや昆虫の擬態も写真だとわかりづらくなるものね

はてさてどんな顔なのか… たのしみたのしみ…

――というわけで

彼がいう転校生の

実はボク フランス貴族の末えいで シモン・ド・グドーが本名です

ウソつくな このド外道が――

え!?外堂くん 讃良の家に住んでるの!?

ハイ

な なに?

うう…うらやましい うらめしい〜

あんな美形とくらせるなんて…

呪ってやる 呪ってやる〜

呪いいや 電波いや〜っ

毒電波送ってやる〜

いや〜 やめて〜

ど〜ゆ〜ことなのよ これは〜〜〜っ!!

どーゆーもこーゆーも…そーゆーことですよ

デレデレと鼻の下のばしちゃってさ！ってか鼻どこだ？

いつまでバラの花くわえてんのよ〜はは は

さぞいい気持ちだったでしょーね 女の子にちやほやされて！

人間らしくふるまったつもりなんですけど

やりすぎでしたか？

でもボクらは人間ではありませんので…

人間の女性にちやほやされても別にうれしくないのです

逆に謙良さんボクの大群にちやほやされたらうれしいですか

ちやほやキャー

キャー

…うれしくない…となるけど…

でもっ！私の立場はどーなるのよっ！？

クラス中の女子敵にしちゃったわよっ！

みんなすぐ飽きますよ！

もの珍しさでさわいでるだけです

昔からいうでしょう「美人は3日で飽きる」って！

完ペキすぎる美しさはかえって人の心に残らないのですよ…

…って その顔でゆわれてもなぁ…また、ぶつぶつてるし…

それよりも校長室に提出する書類があるんですが…

場所がわからないのね いいわ案内する

校長室

ガチャ

失礼しまーす

転入手続きの書類を届けに…

急いで学校中の門を閉めろ！

絶対に外に逃がすな！

校長室

まてーっ

いたか？

いません

草の根わけても捜し出せ！

体育倉庫

まずいですね　早く真犯人をつかまえに行かないと

いや大丈夫…カラス？アゲハがいますよ

え？

今はムリよ

とても校外に出れないわ

カラス？アゲハ　特殊擬態

ピピピ　ピー！

ツバサ？アゲハ！！

ドドォ

急降下 頭体当たり！

なっ なんだ ありゃ〜っ！！

ぶべらっ！！

おいこの体育倉庫が 怪しいぞ！

あけろ！

わ〜っ！ よりによって一番 マズイ時に…！

ガタガタ

うう 外堂くん 体残してどこ 行ったのよ…

これじゃ私も 出るに出られない

いや疑って悪かった 外堂くん

犯人は公園で 気絶していたそうだよ！

ただいまっ！ 犯人ねむらせて 警察に通報 しました！

あっよかった まにあって

タタ

また何かあったら
たのみますよ

擬態って便利ね！

私もそんな能力
ほしいなー！
絶世の美女に
擬態したりして

そうですね
でも、あの
カラス？アゲハ
たちも
本当は…
カラスの姿
なんかに
ならないで

本来の
チョウの姿に
もどって
一頭一頭…
自由にとび回り
たいのかも
しれませんよ

チョウは1頭、2頭って数えるんだよ〜

外堂くんも…ホントは
人間なんかに
化けない

本来の
チョウの姿に
もどって
自由に生きたいの
かも…。

あ

そうか
擬態って弱い生き物が
身を守るための手段だから…

気を許して正体見せられる人間は私だけなんだもんね

これからは少々のことは大目にみてあげよう

私ったらなんて心の広い人間…♡

あ
外堂くん
さよなら

ハイ
さよなら

さよなら
外堂くん
さよなら

バイバイ外堂くん！

再見外堂くん！

アデュー外堂くん！

アディオス！

ダスビダーニャ！

ぐりんぐりんぐりん

こらこらこらこらっ!!

ハイ
さよなら

も～いやくっ！あんたと一緒に学校なんか…絶対行ってやらない～

…讃良さんって心の狭い人だなあ…

つづく

リーゼント？アゲハ
ながすぎ

カラス？アゲハ

分類：節足動物門／昆虫綱／鱗翅目／アゲハチョウ科
学名：パピリオ=コルヴスミムス（カラスもどきのアゲハ、の意）
集団で擬態を行う珍しいチョウ。もともとは羽の目玉もようで天敵の鳥を
いかくしていたが、のちに合体するようになったと思われる。こうした擬態は、
長期にわたって環境が安定していないと生じないものである。訓練しだいで
好きな形に合体させることができるらしい。
なお食性は普通のアゲハチョウと同じである。

前回までのあらすじ

私は結城讃良
16歳
高校1年生
このお話のヒロインです

私の家には ちょっと
不思議な顔の
いそうろうがいます

ボクの顔が
なにか？

この人です

第3話 謎の巨大ミミズ

その…

秘密とは…

彼は日本でただ一人（多分）
の「未確認生物専門の医者」
なんですが

実は 人には言えない
ものすごい秘密が
あったんです！

外堂 賀亜夫安来（通称ガーくん）
首なし人間（ホモ＝プラノケファルス）
Homo-Planocephalus

彼って未確認生物なんです

おねがい
正体…
かぐして

外堂 祭門
頭脚人間（ホモ＝ケファロポデス）
Homo-Cephalopodes

第3話
謎の巨大ミミズ

——さて こんなエキセントリックな秘密をもつ外堂くんですが

キーンコーンカーンコーン

ふだんは ふつうの高校生として 私と同じ学校にかよっています

転入して一週間

まだ誰も彼の正体に気付いてません

体育の授業中

しかし私はいつバレるかとヒヤヒヤしているのです

そのわけは

何 男子の方ばっかり見てんのよ

好きな男でもいるの?

ワア

行けーっ外堂!

ヘディングだ!

え

ヘディング!?

それはまずい…

シュートオォ!

ガーン

あーっおしい!

もどれもどれー!

首…落ちなかったわね…ホ…

よかった…

——って入れかわっとるやんけ——！ホゲ〜〜

ガチョーーン

気付けよ男子‼
いや気付かれたら
こまるんだが…

＜透視図＞

このように
外堂くんの首が

のっかってる
だけ

つかまって
ないと
おちる

実にカンタンに
とれちゃうう
なのでした

放課後・屋上

ったくも
〜〜〜っ‼

外堂くん緊張感
なさすぎ‼
人前でボロボロ
首おとしちゃ
ダメって言ってる
でしょーっ！

よく考えると
コワイツッコミ
である

たまたま誰も気付かなかったからよかったものの…

正体がバレたら人間界にいられなくなるのよ！自分で気を付けてよね！

どーも寝不足でこの本読んでたもんで…！気がゆるんでました！

あ〜ぁ…

あーあ　あいかわらずすごい顔…

ゆうべは徹夜でこの本読んでたもんで…！

もうっ。

どーもすみません…

「第一級でんぢゃらす未確認生物図鑑」？

こんな本…

誰が書いたんだ？

その名のとおり危険な未確認生物を解説した本ですよ！

未確認生物がみんなおとなしいとは限りませんからね

正しい知識もなく近付くと…大変なことになりますので

ふーん…

ハイ返す

くれぐれも

別に本を持ってくるぐらいならいいけどね

あはは　はは

「本物」はもってこないでね！

にげ出されでもしたら大さわぎになるもの！

ごめんなさい

危険

開放禁止

危

持ってきちゃったの〜〜っ!?

ガビーン

なんなの!?
しきりにあばれてるけど!?

ああ、うかつに近づかない方がいいですよ

ゴトゴト

危険ですから

そんなん学校に持ってくんなーっ!!

実はきのう病気で弱ってるのを見つけて保護したんです

ところが治療をいやがって暴れるもので

家におきっぱなしじゃ危ないかなくと思って!

学校に持ってくる方がよっぽど危ないわよーっ!!

キャアア～ッ

ばくっ!

いや～っ!
いや～っ!
いや～っ!

むしゃ
むしゃ

外堂くくくん!!

さっきより
ずっと大きく
なってて…
先生を!

ウソじゃないわ
私 見たもん!

人間を食べた!?
あのミミズが!?

まさか!そんなこと
ありえない!

わからないわ
私こわくて
目つぶっちゃって

気がついたら
いなくなってた

——それで
ミミズはどこへ?

讃良さん

そうよ　しょせん
外堂くんは
未確認生物

人間の私と心が
通じあうはずが
なかったのよね

それなのに私ったら
すっかり友達と
思いこんでさ

トモダチ
トモダチ

異生物との友情物語の
ヒロインにでもなった気で

子供っぽい夢
だったわ…

！

これは！

あれっ？これは
外堂くんの
もってきた本

おきっぱなし
だったっけ

そうか あのミミズ
どこかで見たと
思ったら…

この本に
のっていたんだ
わ！

直前に見た
はずなのに…
私ってば記憶力
ゼロ!?　ちょっとショック…

サンドワーム（ワニミミズ）：砂漠に棲む。

サンドワーム（砂ミミズ）

砂漠に棲む巨大なミミズ。

砂や毒液を吹くという伝説の未確認生物である

大きさは数メートルから数十メートルに及ぶ

日本や朝鮮半島にも出現した記録がある

な…
数十メートル!?

まさか食べた分だけ巨大化するの!?

こんな怪物
生かしといたら町中がのみこまれちゃうじゃない
…！

わからないよ外堂くん…
いったい何を考えてるの？

外堂くんからのメールだわ

「例のミミズを保護するから体育館の裏まで来て下さい」…？

♪♪

キャア〜ッ
助けて外堂くーん！

!!

大丈夫ですよ
ホラ

ゴミを食べてる…！？

も…
もしゃ もしゃ

え…？

これはダストワーム
日本語名「ゴミミミズ」という
未確認生物

サンドワームではありませんよ

人間が出すゴミを食べて体内で浄化するおとなしい生き物です

んま
んま♡

ゴミミミズ
環形動物門/ミミズ綱/ゴミミミズ科
学名:ルンブルクス=ブルガレウス
（そうじするミミズ の意）

サンドワームってゴミを食べるの！？

ゴミミミミズ
言いにくい名前…

ミが一コ多いですよ

でもさっきは先生をたしかに…

あ そろそろ出るころですね

ぶりっ！

ころん！

〜おしり

あ！

いやああ〜っ
なんかキレイになってる！

てかてか

Before　After　？

キーラキーラ

これがゴミミミズの能力です！

ほのかにジャスミンの香りまでする！

つまり

ゴミとまちがえられたのね!!!

そもそもミミズというのはね
みなさん気持ち悪がりますが

本当は人間にとってすごく役に立つ生き物なんですよ

畑にうえた作物がちゃんと実るのもミミズが土をたがやしてくれるからでして

ミミズあり

ミミズなし

もしミミズがいなかったら…作物はちゃんと育ちません

人間も昔はミミズの大切さがわかっていたんですけどね

ホラよく「ミミズにおしっこかけると×××がはれる」っていうでしょ?

あれもミミズをいじめるなって子供に教える意味があったのかもしれません

でっ?私はもう帰ってもよろしいかな?

キリン

言葉づかいまでキレイになってる

ハイどーぞ

私は×××ないけど

ゴミを食べてキレイにしてくれる生き物だなんて

…なのに私ったら

じゃあ人間の敵どころか人間の超味方ってことじゃない…

もしゃもしゃ

ある種のミミズには実際にゴミ処理能力があり、これを利用したゴミ処理器もあります

穴があったら入りたいっ

うわぁぁぁ…

ざくっ! ざくっ!

いやまあしかたないですよ

目の前で人間がのみこまれるのを見てしまっては

はずかしいっ

知りもしないでエラそうなこと言っちゃって…

でもね讃良さん
これだけは言って
おきたいんですが

ボクは別に
人間と未確認生物
どっちの敵でも
味方でもありませんよ

だって区別する
意味がありませんから！

「未確認」
だろーと
「確認済」
だろーと！

そんなのは
人間が勝手に
つくった分類
でしょう？

ボクからみれば
讃良さんも
ゴミミミズも
同じなんです！

どっちも同じ
「生き物」と
いう意味で…！

同じ

やっぱり…
その程度の
存在なのね
私も…

けども
しも
何か
凶暴な
未確認生物が
現れて

讃良さんを襲う
ようなことがあったら

ゴミミミズ(ダストワーム)

分類：環形動物門／ミミズ綱／ゴミミミズ科
学名：ルンブルクス=プルガレウス(そうじするミミズ、の意)

ゴミを体内で浄化する能力をもった、地球にやさしいミミズである。普通の
ミミズではせいぜい生ゴミを堆肥にすることしかできないが、ゴミミミズは
「汚い人間をきれいにする」ことまで可能であるらしい。(その原理は不明である)
ただしその処理能力には限界があり、一度に大量のゴミを食べさせると消化
不良をおこし、一気に逆流するので注意が必要である。

ちょっと見なよ
男子の体育
すごいよー！

讃良ー！

ほっ

ざっ

1-B
結城

ざっ

ざっ

もう100回も
やってるんだって！

けんすい
を！？

ひゃーっ！

第4話 謎の共生生物

そりゃそうよ
実際にけんすい
してるのは
ガーくんで

外堂くんは
上に
のってる
だけなんだから…

―透視図―

それなのに
顔色ひとつ
かえてない
なんて

外堂くんて
すごーい

112

111

110

ひょい
ひょい

外堂くんて
すごーい

第4話
謎の共生生物

「共生」とは 異なる種類の生物どうしが

共に助けあって生きることをいうのです！

いつもすまないねぇ

それはいいよ約束でしょ

ヤドカリにおぶってもらうイソギンチャクとか…見たことあるでしょう？

ボクたちも同じ

両方に利益のある共生を「相利共生」片方だけに利益のある共生を「片利共生」といいます。相手の養分を奪う「寄生」とは根本的にちがいます。

美しい友情信頼感…！

弱肉強食の自然界でこれはとてもすばらしい関係です！

こんなこと人間にできますか!?くやしかったらマネしてごらんなさい！

…いや別にマネたかないけどさ

——しかし

ん？

——ですね

未確認生物界は広いのです！

くやしいけどもっとすごい共生をする生物もいるのです！

？いと

ボクたち以上にすばらしい共生をする生物…

それは…

だ…大丈夫？

明日こそ必ず金もってこいよ！

今度は腕へしおるぞ！

うぅぅ…

あ…あんだは？

B組の結城讃良…

！たいへん！ひどいケガよ

まってて　すぐ手当してあげるから！

い…いいだすよ…

でもっ

ほんとにいいだすってば！

よしなさいよ讃良さん！

本人がいいと言ってるんですほっといてあげなさい！

だけど…

それにこの人のケガは人間の薬では治せません

ギクゥッ

ひょい！

こういうものです

！？あんだは

ひえっ！？

オ…オラは…

1年・F組の…

ニセダ
偽田
モドキ
茂時だす…

変な名前

さっきの連中は
同じクラスの人間で

必殺！
癒しビーム！

──いじめられてるわけですね

ね…ねえ
外堂くん？

ハイ？

この人もやっぱり
未確認生物なわけ？

そうですよ
謙良さん
なら
わかるでしょう？

たしかに…
ふつうの人間
とはちがう
かんじがする
けど…

でも今回お金を払えばもういじめないって約束してくれたです から…

…そうですか

心配してくれてありがとうだす

外堂さん 讃良さん

いいえ では 気を付けて

…ねえ 外堂くん

未確認生物が人間界でくらすって

とってもとっても…大変なことなんだね…

そうですね いろいろつらいことや

がまんしなければならないことも多いです

でもそんなに卑屈になることはないんですよ！

だからボクはわりと気楽にやってます！ これでもあいに！

はっはっは くるくるくる

やめやめーっ

茂時くんもそのことに気付いてくれるといいんですがねぇ…

そ そうね…

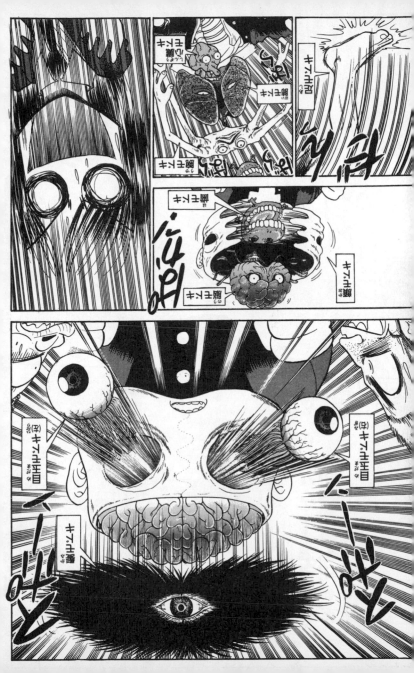

せっかく友達になれたのに…

ひっこさなきゃならないなんて

親の仕事のつごうでしかたないだす

数日後

須賀幌
SUKABORO
呂叙尊　西壜洲

でもっ

外堂さんのおかげで…オラたち誇りをとりもどせただす！

次の学校ではきっと人間たちと楽しくやっていけるだす！

ありがとうございますだす

ガー

それじゃ

ハイがんばって下さい

プルルルル！

…13種類もの生物が共生して生きてるなんて…

茂時くんてすごい未確認生物なのね

そのとおりです！

モドキ

ガタン…ゴー…

髪モドキ

脳モドキ

顔モドキ

目玉モドキ
(左右)

歯モドキ

腕モドキ
肺モドキ
肋骨モドキ

肝臓モドキ

心臓モドキ

胃モドキ
腸モドキ

足モドキ

ヒトモドキ(アンドロミムス・偽田茂時)

13種・14体の生物が共生した姿。個々の生物の分類・学名については省略させて下さい…(大変なので)。彼らは実に謎の多い生物で、しゃべっているのは誰なのか？思考しているのは脳モドキなのか？食べ物はどのように消化され、分けられているのか？などわからないことだらけである。また劇中には両親も登場していたが、親子関係はどうなっているのか？なども不明のままである。ヒマがあったらぜひ研究してみて下さい。

「ネッシー」を知っていますか？

イギリスのネス湖にいるという巨大な未確認生物です

大西洋

スコットランド

ネス湖

今回登場する生物は

そのネッシーによく似ています

プァァ・・・

古代生物の生き残りとか いろんな説があるけれど

その名も

丼部楽湖の・・・「ドッシー」

もちろん正体は不明です

「プレシオサウルス」説が有名ですが「タリモンストラム＝グレガリウム」という無脊椎動物説もよく知られています

第5話

謎の水棲怪獣

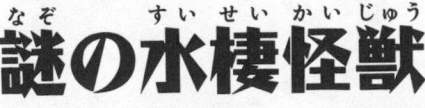

ほら ここが
山奥村の
丼部楽湖

親戚のおじさんが
近くに住んでてね
教えてくれたの

もう30人も
目撃者がいるんですって！

ほ…

もし本当なら
まちがいなく
未確認生物
でしょだから

…ってコラコラ！

わーい
キャッキャッ

バンジャバンジャ

あそびに
来たんじゃない！

でもこんな
小さな湖に
怪獣なんて

「犬神家の
一族」ごっこー

ホントに
いるのかなあ？

いる
わけ
ない！

えっ？

ぷかぷか

そんな怪獣なんぞ…この世の中に…いるわけないのぢゃ！

あなたは!?
はやく首つけて。
エライ動物学者の
入別内造博士ぢゃ
いるわけないぞう

ドッシーなんぞ存在せん！
全ぶウソか錯覚ぢゃ！
しかし

イギリスのネッシー
カナダのオゴポゴ
コンゴのモケーレ＝ムベンベなど…
巨大水棲獣の話は世界中に…

3つの理由で否定する！

①一本の骨さえ見つかっていない！

②動物は最低200頭いないと種が存続できない！

③こんな小さな湖では そんなに住めるほどのエサがない！

したがって『ドッシー』などという生物は…

いるにきまってる!!

あなたは!?
有名なオカルト研究家の
射煮奇馬輝です！

ドッシーは実在する！そしてUFOも超能力も本当なんだ！

私は宇宙人から電波を受悟したんだ！

おや先生がたもう論争ですか？

本番はまだ先ですよ！

ガヤ

ん？

あら？

ライトそっちに回してくれ！

マイクの位置はここでいいか？

ホラ部外者はどいたどいた//

ガヤ ガヤ ガヤ

これは…TV局？

そりゃそうか…30人も目撃者がいれば取材にくるわな

だめだこりゃ

場所をかえましょう

ガヤ ワイワイコードがたりない 機材を

ときに讃良さんの親戚の家というのはどこにあるんですか？

エート地図によるとこの辺に

目印の古いほこらが…

ごめんなのだ
あやまるのだ

まさか いとこの讃良ねーちゃんだったとは…

いい いいのよ 栗太くん
私も気付かなかったんだし…（6年ぶりだもんね）

なにせドッシーさわぎで若い連中がやたらとくるようになったもんで…

ドッシーじゃないのだ！
竜神さまなの竜神さまなのだ！

竜神さまはボクの命の恩神なのだ！

命の？

3年前 湖に落ちて死にかけたことがあったのだ

そのとき湖底からなにか大きなものが現れて

ボクを岸まではこんでくれたのだ

はっきりと見たわけじゃないけど

あれは竜神さまなのだ！
今の讃良さんが竜神さまが助けてくれたのだ

ふむ…

ひょっとしてそのとき今の讃良さんと同じニオイがしませんでしたか？

そういえばなんかとてもくさかったのだ

したのだ

どこに行くのだ？外堂さん…

いえ竜神さまの

ドッシー

なるほど…だいたいわかりました！

病気を治しにいくのですよ！

ハイ！

え!? 病気!? 病気!?

未確認生物が人間に目撃される原因はおもに二つ！

一つはまったくのぐうぜん…

もう一つは病気やケガなどでかくれる能力が弱くなっているときです！

!!

30人も目撃者がいてはぐうぜんではないでしょう

何らかの病気にかかっていると考えられます！

助けるのだ！

この丘がいい湖全体が見渡せます

もぐって調べるんじゃないのか？

いえいえそんな必要ありません

？

頭脚人間…
5つの特殊眼力の
その④

透視眼!!

やはり…湖底は
ゴミの山か…

あちこちで
腐敗ガスが
発生
しています

？ ？

なんで
見えるのだ？

ふっ
ふっふっ…
すごいでしょ！

これぞ頭脚人間の
「特殊眼力」！

視神経が
異常に発達した
結果、得た能力
なの！

あっ、じぶんまで
すけちゃった

ちなみに外堂くんの特殊眼力は5種類あって…

その②
マスイガン
麻酔眼

その①
ボウエンガン
望遠眼

その③
ヒーリンガン
治癒眼

そしてその④が透視眼…私が知ってるのはここまでね

最後の一つはまだ見てないの

外堂くんいわく…その技はちょっと危険で…

できれば使いたくないそうだけど…

? ? ?

意味不明なのだトーキャクニンゲン?ガンリキ?

なんでそんなことができるのだ？

いや…けね…私以外の人には私の人間にはふつうの人間に見えるんだった

え

いました！竜神さまです！

まさに浮上するところです！

いや
しかし…

あの方角は…

「ドッシー」…？

竜神さま!?

重病です かなり苦しんでいる

でも どうやって？

手術で患部を切りとらないと！

近付いたら触手につかまっちゃうよ!?

ひゅん！

ひゅん！

ひゅん！

——しかたありません

「第5の眼力」を使います！

外堂くん!?

ばっ

はなれた場所から手術するには この方法しかないのです

外堂祭門…特殊眼力その⑤

ドッシーが…

すっ！

助けてくれた!?

なっ

なんと…意思をもっていたの!?

なに!?

フワ…

だが…なぜだ!?

殺そうとしたのに…憎んでもいいはずなのに…!?

ザザザ！

──いや 憎まないでしょう

キョウリュウモの寿命は人間の数千倍…

それから見れば人間なんてすぐ死ぬ虫のようなもの

虫の鳴き声がうるさいからって憎む人などいないでしょう？

人間同士の論争など
虫の鳴き声のような
もの…

好きなだけ鳴かせて
やろうというわけか…

大きいのね
まるで
神様みたい

そりゃそうなのだ
だって…

竜神さま
なんだから…！

この日以後
ドッシーを見たと
いう人は出て
いません

プアアー…ン

きっと今頃
湖の底で

のんびり
くらして
いるので
しょう

つづく

キョウリュウモ

分類：シダ植物門／シダ綱／キョウリュウモ科
学名：メガロヘルパ＝アクアティカ（水生の巨大な草、の意）
単体の水中植物としては世界最大。その重さゆえにほとんど常に水底に沈んでおり、浮かび上がることは稀である。天気の良い日などに、光合成によって生じた酸素の泡で浮かぶことがあるが、小型のものに限られている。大型のものが浮かぶのは、腐敗ガスなどが大量発生した場合だけのようだ。最近になって、ある種の意思をもつことが確認された。

春 — 2004年

俺は失恋した

第6話 謎の不定形生物

失恋のわけは

相手は近所に住んでる幼なじみ

なにしてんのよ 遅刻するわよ。

すいません

ねぼすけんなんだからもー

結城 讃良

彼女に…恋人ができたらしいからだ

いや〜

はっ、はっ…

男の名は外堂 祭門

彼女の家に下宿してる…とんだイケメン野郎だ…

(注)外堂くんの顔は讃良以外の人間にはこう見える(第2話参照)

…はあ…
付きあうどころか「好きだ」ってコクることさえできねーうちに…
自分がイヤになるぜったく…
柿本人丸(16)高校1年生
我ながら情けねえなあ!
ガサガサガサ
ガササガサ…
…?
な なんだ!?
ブルルッ
!?
にょみょ〜〜ん…
ズルッ
ドババーンッ!!

第6話 謎の不定形生物

だ〜〜〜か〜〜らぁ〜〜っ!!

誤解だって言ってるでしょ——っ!!

C組の柿本くんと私がつきあっているなんて…

そんなのデマよ! ヌレギヌよ——っ!

たしかに見たもんきのう2人が一緒にいるとこ!

仲よく腕なんかくんじゃってさ!

だって…ねぇ!?

そんな!

きのうの2人が一緒にいるとこ!

あっ外堂くんいいところへ

フンフンフ〜ン♪

なんのさわぎですか讃良さん

実はかくかくしかじかで——

え? きのう? それは変ですよ

これが証拠の写真よ ホラ!

しかも制版版まで借りちゃって…

こ…これは…そんなバカな…

ばん!

DONOKO

んじゃよちょっと出かけてくらあ！

夕飯までに帰ってらっしゃいよ！

柿 本

…なんだすぐ近所に住んでるんですね

そりゃそうよ幼なじみだもん

仲良しだったんですか？

うーんどーだったかなー

小学校ぐらいまではよくあそんだ気もするけど…

そのうちなんか理由もなくイジワルされるようになってねー

やーいサラダサラダ

私もブチ切れちゃってさ反撃して

ざけんな！オラ～！

ウギャァー

前歯3本折ってやったの（乳歯だけど）

いたいた

いたい…

ほえぇ…らしい…

…子供の頃からグーで殴るヒトだったんですね…これ…

初対面で殴られたコトがある(第1話参照)

なんで?それがふつうでしょ?

ふつうは平手ですよ普通…女の人は…

ホントだ!何する気かしら

！見て下さい！廃屋になったアパートに入っていきますよ

讃良！讃良！出ておいで！

オレだよ柿本だよ！

コンビニのエッセ

食べ物と着がえをもってきたよ！さあ…

にょみょ〜ん

でも変よ！
それならなんで
私の姿に！？

それは
ですね

スライムは
彼の心を読んん
だのです

にゃね？

柿本くんの…
心を！？

ハイ…スライムは
目がないので
ものを見ることが
できません

だから心を
読むことで
相手の姿を
知るのです！

みょ〜ん

つまりスライムに
出会ったとき
柿本くんは…

讃良さんのことで
頭がいっぱい
だった！

えっ？

その思考に感応
してスライムは…

（ぽよ）

とにかくスライムはあずかります

元いた場所にかえしましょう

柿本くんと私のことで頭がいっぱいだったって…

そんなにまで私のことを…

未確認とはいえ野生生物を勝手に飼うことは…

9どうしました讃良さん元気ないですよ

え9・あ　ううん

いつも一緒にいるボクでも正確にイメージするのは…

しかしホントに似てますねー

え…

ん？

プルプル

完全に

嫌われたな

はは…これで

いくらなんでもキモすぎ…最悪だもんな

人形の女の子に話しかけてる男なんて…

ニセ物！？

アンッ！

私がもっと早く柿本くんの気持ち気付いていれば…

え…？え…？

知らなかったの…あなたが私のことで頭がいっぱいになるくらい…

そんなにまで私のことを…

さ 讃良…

うらんでいたなんて

やっぱり前歯折ったのがいけなかったのね…

今度から殴るときは平手にするわ

ごめんなさい…

あは…あはははは

ニブい！信じられないニブさですよ讃良さん！

未確認生物のボクでもわかるのに

…ホントに眼中にないのね オレのコト…

え？なに？なに？

そっか じゃあんたも讃良とつきあってるわけじゃないんだ

ハイ ボクはただのいそうろうです

じゃあ まだオレにもチャンスあるかな…？

ええ…だけどあせらなくてもいいと思いますよ

讃良さんのあのニブさでは あと数年は恋人なんて 絶対できないでしょう

ナヌ!?

だから柿本くんは それまで じっくり 男をみがいて…

うんと魅力的な 男になって 告白すれば いいのですよ!

がんばって下さい!

いいヤツだなぁ〜 うぅ…

外堂…お前…

そして翌日

だ〜か〜 〜らぁ!!

誤解だって いってるで しょーっ

だって証拠の写真もあるのよ!

讃良の路上ヌードショー!

目撃者:クラス全員

それは…私じゃ な〜い! でも すててて〜〜 う〜ん

これは…恋人 できないどころか おヨメにいけなく なっちゃったかも…

にょみょ〜ん

つづく

メタモスライム

分類：不定形動物門／スライム綱／メタモスライム科

学名：ブレナンリムス＝メタモルフォシス（変身するブレナンの泥、の意）

学名の中の「ブレナン」とは、スライムの名付け親である小説家ジョセフ・P・ブレナンのこと。メタモスライムはブレナンのスライムとは別物だが、同じスライム綱の仲間である。他の生物の子供に化けて養ってもらうという、カッコウ（鳥類）のような習性をもっている。不定形だがかなりがんじょうな筋せんいをもっており、人間のような大型生物に化けても型くずれをおこさない。

いやあーホントに治ってよかったですねー！

一時はもうダメかと思ったもんねー！

見つけたときはひん死の重病だったんだから

…！

まったくです

でもこの一週間つきっきりで看病したおかげで

ようやく動けるようになったのよね

？

第7話 謎のフェロモン

でも…治ったのはうれしいけれどお別れするのはさみしいな

しかたありませんよ

野生動物を飼うわけにはいきません

チミたち何の話をしとるのかね

？

スイカなんかかかえて！

はや～～～っ！こりゃまたりっぱなスイカだなや～！

あ　いえ　それはスイカではなく

…

第7話
謎のフェロモン

動物殺しに飽きたら…次は人間を殺すに決まってるのだから！

それはそうだけど

犯人がわかってたらとうにつかまえてるでしょうよ！

誰のしわざかわからないから困ってるんでしょバカねぇ！

な…母さん！バカとはなんだバカとは！

なによえらそうに

それが一家の大黒柱にむかって言う言葉か

ギャーギャー

ワーワー

やれやれ…

ケンカになっちゃった…てどうしたの？

……

スイカムシくん…放すべきではなかったかも…

だって大丈夫でしょ！？未確認生物はかくれるのがうまいんだし…

え？

…悪い予感がするのです

そうですがしかし

…まれに長期治療の直後だと…

一時的にかくれる能力が低下してる場合が…

ええ！？

はぁはぁ

!!

あなたが…あなたがやったのですか!?

ああ!?なんのことだあ!?

オレはたった今通りかかっただけだぜ〜っ

見えすいたウソを…ではその右手の返り血は何です!?

スイカの汁よ!

ん?

こりゃあ血じゃねえただの…

ペロペロ

ああ〜〜これかぁ〜?

なっ

外堂くん!

ヒッヒッヒ！そゆこと！

オレはキレるとこわいからね〜

証拠もなしに人を犯人扱いすんじゃねえよ！

バーカ！

ヒヒヒ

くっ…

やめて！気持ちはわかるけどこんなアブなそうな人に関わっては…

しかし…讃良さん！

何されるかわかんないよ

外堂くん…

このガキャ～!!
なめてんじゃねぇぞ
ボゲェ～～～!!
毒薬食わせて
ボウガンぶちこんだろうか
ああ～～っ!?

外堂くん…

だ…だから
警察に
まかせようよ
…!

あの人が犯人に
まちがいない
のです!

見るからに
怪しい人だもん
きっと警察も
マークしてるよ

次は必ず
つかまるわ!

でもその前に
また犠牲が
出てしまう!

ボクは…医者
ですから!

助けられる
命は助け
たいのです!

外堂くん…

外堂くんは
あきらめません
でした

次の日も
男のもとに
行ったのです

次の日も

また次の日も

そして
とうとう…

いーかげんにしろ！このガキ！！

話をきいたくないなら それでもいいです！

せめてこの薬だけでも使わせて…

そんなに使いたきゃ…

てめェが使え！！

二度とそのツラ見せるな ホントに殺すぞ！！ 外堂くん！

反射！癒しビーム！

ケガならいずれなおります

しかし命は…一度失ったら…

二度と戻らないのです… シクシク 外堂くん…

今日で5日目でしたね スイカムシくんが殺されてから

くすん… バカよあなたは…

こんな大ケガまでさせられて…

フェロモン?

讃良さんフェロモンを知っていますか？

…えっ？

はあ…

タイムリミットだ…もうまにあいませんね

なんとか彼を説得して助けようと思ったのですが…

生物が出す特別なニオイ物質…よね・たしか…

そうです

異性をひきつける「性フェロモン」など特に有名ですね

アリが道に迷わないのは「道しるべフェロモン」のおかげだし…

ニオイをたどって歩く

つまりフェロモンとは仲間どうしの間でだけ通用する…

…はは

一種の暗号なのですよ！

なんで急にそんな話を…

まさか!?

ハイ！

あの男の手についた返り血というのは!?

スイカムシくんが
死のまぎわ
犯人の体に
のこしたものは…

返り血
などでは
ありません

それは彼の仲間を
よびよせる…
フェロモンなのです!

ケッ!
まったく…

うぜぇガキ
だったぜ!

たかが虫一匹の
ことでよぅ…!

しつこく
くいさがり
やがって!

—ま
あれだけ
おどしときゃ もう
二度とくることも
あるめぇ

どぐされ荘

——そうかも しれない

でも…

あっ 毛虫だ！

つぶせ つぶせ！

キャーッ ゴキブリよ！

殺せ 殺せ 殺せー

たしかにあの人は 復讐されても しかたの ない悪人だった…

動物はともかく… 小さな虫ぐらい なら誰でも 殺したことは あるはずです

もしかしたら その中にも 「遺言フェロモン」 をもつ虫がいた かもしれません

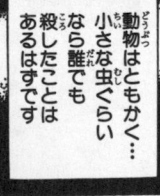

そして 今夜あたり

あなたの 部屋に…

つづく

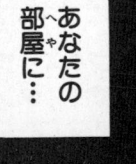

1謎の未確認ドクター（完）

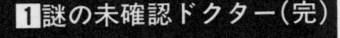

スイカムシ

分類：節足動物門／甲殻綱／等脚目／ダンゴムシ科
学名：アルマジリジウム＝キトルルス（スイカのダンゴムシ、の意）

おそらくスイカ畑でかくれて暮らすために、このような模様になったと思われる。
しかし収穫の時期にはこの姿ではかえって危険なので、別の模様に
なるのかもしれない。カボチャムシ、メロンムシなどの亜種もいるらしいが、
あるいはそれらは模様を変えたスイカムシである、と考えることもできる。
復讐をする「遺言フェロモン」をもつことで知られる、ちょっと怖い生物だ。

第2巻に
つづきます

頭脚人間（外堂祭門）

分類：脊索動物門／哺乳綱／霊長目／ヒト科

学名：ホモ＝ケファロポデス（足のついた頭のヒト、の意）

消化器管が極小化したため、胴体がなくなった。逆に視神経が異常に発達し、一種の超能力ともいえる「特殊眼力」を得るにいたる。眼力の種類は一人一人異なっており、彼（外堂祭門）の眼力は①望遠眼②麻酔眼③治癒眼④透視眼⑤破壊光線眼の5つである。食べ物は、消化のよい物しか食べられない。ちなみに大好物は、ひややっこである。

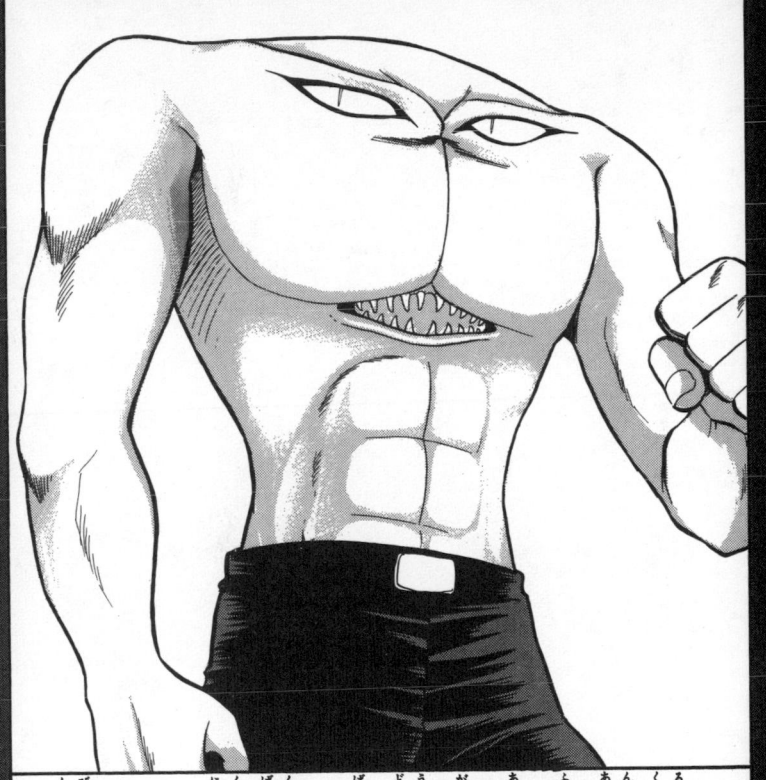

首なし人間（外堂賀亜夫安来）

分類：脊索動物門／哺乳綱／霊長目／ヒト科

学名：ホモ＝プラノケファルス（平たい頭のヒト、の意）

寒冷地適応が極端に進んだ結果、頭部と胴体が一体化した。頭脚人間のような特殊な能力はないが、なみはずれた体力を持っており、人間型の生物の中では1、2を争う強さである。アゴの自由度が少ないため発声が明瞭ではないが、パートナーの頭脚人間には完全に通じるようだ。

食べ物に制限はなく何でも食べられる。

■ジャンプ・コミックス

未確認少年ゲドー

1 謎の未確認ドクター

2004年9月8日	第1刷発行
2005年3月12日	第2刷発行

著者　　岡　野　　剛

©Takeshi Okano 2004

編集　ホ　ー　ム　社

東京都千代田区一ツ橋2丁目5番10号
〒101-8050
　　　　　　電話　東京　03(5211)2651

発行人　鳥　嶋　和　彦

発行所　　　株式会社　集　英　社

東京都千代田区一ツ橋2丁目5番10号
〒101-8050

　　　　　　　　03(3230)6233(編集)
電話　東京　03(3230)6191(販売)
　　　　　　　　03(3230)6076(制作)
Printed in Japan

印刷所　中央精版印刷株式会社

JASRAC 出0410221-401

ISBN4-08-873655-9 C9979